XIAONIUDUN DE DIYITAO KEPUHUIBEN

# 糖不见了

## 糖的溶解现象及糖的浓度越大，糖水越甜

本书编写组　编

世界图书出版公司

广州·上海·西安·北京

**图书在版编目（CIP）数据**

糖不见了 /《糖不见了》编写组编. —广州：世界
图书出版广东有限公司, 2015.10
（小牛顿的第一套科普绘本）
ISBN 978-7-5192-0330-6

Ⅰ.①糖… Ⅱ.①糖… Ⅲ.①科学知识 – 学前教
育 – 教学参考资料 Ⅳ.①G613.3

中国版本图书馆 CIP 数据核字(2015)第 245651 号

**糖不见了**

TANG BUJIANLE

责任编辑：韩海霞
装帧设计：华阳文化
出版发行：世界图书出版广东有限公司
　　　　　（广州市新港西路大江冲 25 号　　邮编：510300）
电　　话：（020）84451013
网　　址：http://www.gdst.com.cn
邮　　箱：wpc_gdst@163.com
经　　销：新华书店
印　　刷：湖北金海印务有限公司
开　　本：710mm × 1000mm　　　1/16
印　　张：2
字　　数：5 千字
版　　次：2017 年 8 月第 1 版
印　　次：2017 年 8 月第 2 次印刷
国际书号：ISBN　978-7-5192-0330-6
定　　价：15.00 元

# 献给孩子的科普绘本

天空中为什么会有彩虹？月亮为什么每天都在变化？糖掉在水里为什么会不见了？一年中为什么会有四季的变迁？水在自然界是怎么循环的？……我们在日常生活中常常遇到的这些现象，在孩子们的小脑袋里形成了许多个"为什么"，这些看似平常的问题，家长们往往却不能说出个所以然来。

孩子们对世界的求知欲和探索欲正是在这一次次的提问，并在一次次找到答案的过程中培养起来的。"小牛顿的第一套科普绘本"这套丛书，以讲故事的方式向孩子们阐释科学知识，每一段简单的文字都配上了可爱的图画，将科学知识融于其中，浅显易懂、趣味十足，能将孩子们牢牢地吸引住。

在这套丛书的最后，专门设置了亲子互动环节，列举了更多的实例，让孩子们了解更多相关的知识点。还有简单、易操作的小实验，更能激发孩子阅读的兴趣。

那么，一起来探索科学的奥秘吧！

小猪呼呼的生日快到了，猪妈妈和猪爸爸想为他准备一份生日礼物。吃饭的时候，妈妈笑眯眯地看着呼呼，问他："呼呼，再过几天就是你的生日了，你想好要什么生日礼物了吗？""我最喜欢吃糖了，我想要一大罐糖。"呼呼大叫着说道。

3

这个生日礼物显然让猪爸爸和猪妈妈感到为难：呼呼从小就爱吃东西，长得圆乎乎的，应该控制糖分的摄入，现在处在长牙、换牙的阶段，这要是每天吃糖，对身体和牙齿可都不太好。拒绝呼呼的要求呢，又不太忍心。该怎么办呢？

小朋友们正处在长身体和长牙齿的重要阶段，要控制糖分的摄入。

猪爸爸和猪妈妈商量了许久，决定给小猪买一罐糖，但是跟呼呼讲明了多吃糖的坏处，并跟呼呼约定好，每天只能吃一颗。呼呼满口答应下来。在呼呼生日那天，他得到了一大罐糖——还是他最喜欢的水果味糖。

每天上午十点多是呼呼一天中最开心的时刻，他会搬来小板凳，站在凳子上，从糖罐里小心翼翼地拿出一块糖。嗯，今天是一颗香蕉味的糖。呼呼剥去漂亮的包装纸，把糖放进嘴里，甜甜的味道让他的心情变得格外好。

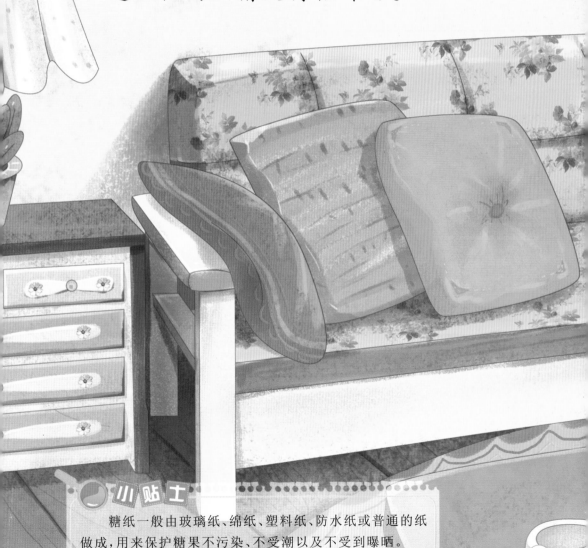

小贴士

糖纸一般由玻璃纸、绵纸、塑料纸、防水纸或普通的纸做成，用来保护糖果不污染、不受潮以及不受到曝晒。

时间一天天过去，罐子里的糖从一满罐变成半罐。又过了一段时间，罐子里的糖还剩下三分之一，五分之一……每次拿完糖，呼呼都要数一数，罐子里还有几颗糖。不知不觉，罐子里只剩下一颗糖了。

呼呼又搬来小板凳,打开盖子,拿出最后一颗糖,慢慢地剥开糖纸,正准备吃。突然厨房里传来妈妈的声音:"呼呼,门铃响了,快去看看是谁?"呼呼被妈妈的喊声吓了一跳,一不小心糖从他的手中滑落了,刚好掉进了有水的杯子里。

August
13

14

"叮咚——"门铃又响了，来不及拿出糖了，呼呼跑去开门，是爸爸回来了。关上门后，呼呼快速跑回桌子前，准备捞出糖。咦？杯子里只有水，我的糖呢？呼呼很沮丧，这可是最后一颗糖。他眼睛盯着杯子一动不动，一脸的疑惑……

他走到厨房，问正在忙碌的妈妈："妈妈，你刚才拿了我的糖吗？"妈妈放下手中的抹布，"什么？我在厨房没出去呀。"呼呼委屈地说："刚才我帮爸爸开门回来，我的糖就不见了。"呼呼的眼泪都要掉下来了，那可是最后一颗糖。

猪爸爸听到他们的对话，问道："呼呼，你怎么了？"呼呼把爸爸拉到桌子前，指着水杯，"刚才我的糖掉在水杯里了，现在不见了，呜呜……"呼呼说着说着就伤心地哭了起来，爸爸用纸擦擦呼呼的眼泪。

爸爸突然哈哈大笑起来，呼呼止住了哭声，看着爸爸。爸爸说："呼呼，你的糖没有不见，在水里呢。""在哪儿呢？我怎么看不见呀！"爸爸端起水杯，让呼呼喝水。呼呼接过水杯，尝试着喝了一口。

"你喝的水跟之前有什么不一样吗？"爸爸问呼呼。"水有点甜。"爸爸说："你的糖溶解在水里了，水就有甜味了。""溶解？"呼呼从来没有听过这个词，一脸困惑。"糖放在水中溶化不见的现象就是溶解。"

小贴士

食盐和糖放在水中，过一会儿，就会溶化不见了哟。

猪爸爸从厨房里拿出一些盐，倒在另一个水杯里。呼呼看着盐倒进去也不见了，笑着告诉爸爸："爸爸，我懂了，盐也溶解了。"猪爸爸摸摸呼呼的脑袋，说道："呼呼真聪明！"

　　猪爸爸还告诉呼呼,往水里加的糖越多,浓度变大,水就越甜。呼呼高兴地说:"我今天学到新东西了,我要告诉我的小伙伴,他们肯定都很佩服我的。"

小朋友，你喜欢吃糖吗？你知道糖有哪些种类吗？下面几种是比较常见的。

**白砂糖**：简称砂糖，为粒状晶体，根据晶体的大小，有粗砂、中砂、细砂三种。

**红糖**：一般由土法榨制得来，杂质最多，纯度最低，具有特殊风味，营养成分比白砂糖高。

**麦芽块及麦芽糖浆**：由大麦、小麦等在酶的作用下水解而得，我国生产的成品一般称饴糖。

**蜂蜜**：是蜜蜂采花蜜酿制的，60%～80%是人体容易吸收的单糖，且有特殊风味。

妈妈买了一些白糖回来当调味料，
你知道做什么食物时需要用到糖吗？

糖醋排骨

烤面包

甜汤

冰激凌

煮面条

动手试一试：准备两个大水杯，一个装水，另外一个装米，把两块冰糖分别放入水杯，过几分钟后，你会看到什么？说一说，为什么？

两块冰糖

水

两个大水杯

米

一位老爷爷在制作糖人,他会用到哪些东西呢?制作糖人的原理是什么?

勺子

加热的锅

竹签

钢尺

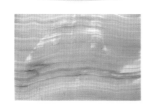

大理石板

蔗糖

*Kexue*

收集各种颜色的糖纸，准备好剪刀、胶水，动手做一做。

蝴蝶

花朵

房子